KB209823

히스테리 미스터리

실천문학시인선 026
히스테리 미스터리

2019년 1월 18일 1판 1쇄 인쇄
2019년 1월 23일 1판 1쇄 펴냄

지은이   이영숙
펴낸이   윤한룡
편집   한지혜
디자인   윤려하
관리·영업   박수정

펴낸곳   (주)실천문학
등록   10-1221호(1995.10.26)
주소   서울특별시 중랑구 상봉로 110, 1102호
전화   322-2161~5
팩스   322-2166
홈페이지   www.silcheon.com

ISBN 978-89-392-3033-0 03810

실천문학 시인선 026

히스테리 미스터리

이영숙 시집

실천문학사

제1부

4월   11

버스의 평균율   12

깁스한 시 한 편   14

까마귀 네트워크   16

수목장   18

목요일의 패러독스1   20

목요일의 패러독스2   22

목요일의 패러독스3   24

벚나무는 장미목 장미과   26

장소의 불문율—고시원   28

장소의 불문율—폐가   31

장소의 불문율—흡연구역   32

장소의 불문율—공중화장실   34

장소의 불문율—공동묘지   36

히스테리 미스터리   38

제2부

유산에 관한 두 개의 퍼즐   43

이력   45

본말과 전말 사이   46

주머니에 시집 한 권이 쑥 들어가는 코트를 입고   48

공원묘지   50

스티로폼 한 조각이   51

내가 버스를 놓쳤다면   53

사소한 다큐   56

편지1   58

편지2   59

개화 이틀 전   60

불러오기1   62

불러오기2   64

못의 지대   66

진양조로, 과양각시 왈   68

제3부

촛불을 연다─혁명 1주년   73

수건의 고독사   74

플라스틱 수프   76

스트레칭이 인체에 미치는 영향   78

인간적 패턴   80

호치키스가 없다면 우리 사랑   82

간도 쓸개도 조문(弔問)도 없이   84

비천무(卑賤舞)─궁중예술단·2014   86

우리의 양식─노동열사 전상서   89

353일의 불면   91

출근길   93

가을전어   95

알레고리   97

제4부

과정도 비약도 없이	101
축 생일	102
대문의 근황	105
포장마차를 찾아서1	107
포장마차를 찾아서2	109
감옥 이야기	111
싱크대에서	112
잠언 독송	114
몽촌토성·여름	116
몽촌토성·가을	117
몽촌토성·겨울	118
몽촌토성·봄	119
한 사람 건너	120
얼룩은 더 큰 얼룩 속으로 스며든다	122
해설 김유석	127
시인의 말	144

제1부

4월

유혈목이*가 햇빛에 동굴을 파고 있었다
야산 둔덕
갓 출소했는지 옷이 헐렁했다
몸속으로 접어 넣었던 다리를 꺼내려고 몸을 뒤적거렸다
피 냄새는 가시었으나
아직 어디로 갈지 몰랐다
남은 빛은 여전히 그의 어깨에서 빛났다
안테나를 세우자
수신되는 건 삭정이들 뿐
아무도 보는 이가 없었다
한동안 어둡게 구불대다가
동굴 문을 닫고 사라졌다
진달래 꽃그늘
마른 덤불이 서걱거리기도 전이었다

---

* 뱀과(科) 유혈목이속(屬)에 속하는 뱀.

버스의 평균율

관절이 없어서 나는 기차가 되지 못했다
기적소리 대신 클랙슨
목을 쳐들어 울음을 멀리 보내는
늑대가 되지 못하고 개처럼
목전의 먹이 앞에서 컹컹 짖었다

레일이 없어서 기차가 되지 못한 사람도 있다
귀를 대고 들으면 지구 저편에서
후드득 자기를 뜯어 안고 달려오는 심장
그의 귀는 코너를 돌 때마다
아스팔트처럼 납작하게 지져졌다

번개와 직접 교신하는 시간대를 견디며
우리는 무지개처럼 안이했다
휘발되는 속도로 소식이 지체되었다
나무들처럼 가지런히 서 있는 연대기
태생은 번복되지 않았다

더럽혀지지 않으려고 주먹을 꼭 쥐고

버스가 달린다

버스는 버스 외에 달리 방법이 없다

우르르 몰리는 슬픔들을 재배치한 뒤

불면의 차고지에서 조용히 시동을 끄는 것 외엔

깁스한 시 한 편

칸트가 느긋한 걸음으로 나타나면
동네 사람들은
어, 벌써 세 시군
그랬다 한다

같은 길을 같은 시각에
꼬박꼬박 다져서 만든 산책길이
어깨부터 손목까지 이어진다
단정한 각도의 생이 펼쳐지는 것이다

뼈와 뼈가 연대하는
보이지 않던 곡절을
네게 보여줄 수 없는 게 유감이군

그러나 팔꿈치는 적응한다
시계를 보지도 않고 세 시에 미리 가 있다

4주에서 6주라는 통상의 세기 동안

왼쪽 시가 오른쪽 시보다 가늘어진다

중심을 잡느라고 좌뇌 쪽이 무거워진다

빵을 사면 한련화 씨앗 한 봉지씩 나눠주는 제과점을 차
리자

콘크리트를 전동기로 동그마니 뚫고

먼저 제과점 앞 왼쪽 시에 씨를 심고 물을 주자

미풍에도 한들거리는 한련화제과점

까마귀 네트워크

오래된 이야기에 베인다
모서리가 다 닳는 새벽
밑줄을 긋기도 전에 나는 검은 피를 머금는다

하필이면 어제 네가 왔다
어두워지는 중세를 줄곧 날았을 것이다
나는 아무 준비도 하지 못했다

우리는 이미 몇 번이고 발견되었으나
익명은 흔한 일이다 도시에서
내가 웃는 게 남의 울음인지조차 모를 때도 있는 것이다
선회해서 네 그림자가 겹겹의 능선을 밟고 고대로 사라질
때조차
너는 오지 않았던 건지도 모른다

무리에서 떨어져 나온 자들은 동선이 길다
음역이 넓다 한 번 울 때

광역 네트워크가 깔린다 어디를 가도
자기 땅이다 어디선가 지켜보면서

네가 말을 건다 도심의 뒤켠
전원을 켜고 나는 고대로부터 시작된
나의 죄를 고한다 까악까악 카악

수목장

청소물고기가 죽었다

장대를 뛰어넘는 운동선수처럼 허리가 유연하게 휘어 있었다

반나절은 넘겼는지 눈빛은

불러도 오지 못할 만큼 멀리 가 있었다

어린 뽕나무 곁에 묻어 주고 현관문을 나섰다

지체된 시간만큼 종종걸음 쳤다

이래도 된다는 건지

타야 할 버스는 오지 않고

매연만 꼬박꼬박 지나갔다

청소부도

주홍이도

명줄이 긴 네줄박이 넙죽이도

긴긴 시간 버스를 기다렸지

줄지어 선 채 한 방향을 보다가

매연을 피해 플라스틱 수초에 얼굴을 파묻었지

어항에 담겨서 한 생이 지나가는 동안

베란다 화분에는 연두색 오디가 일고여덟 개 열려 까맣게
익어갔다
우리가 보지 못한 꽃밭이 어디선가 흐드러질 때
뒤섞이지도 못하면서 청소부는
물길을 따라 정기적으로 가라앉았을 것이다 주둥이로 바
닥을 헤집어
이끼와 배설물을 삼키는데
버스는 오지 않고
정류장에서 가까운 이의 부고를 문자로 받는다
마른 잎이 결국은 제 그림자에 내려앉듯
매연보다 독한 하루가 시드는 오후 도시 외곽에서
아는 이들이 다 죽으면 나는 버스를 탈 수 있을까
플라스틱 수초에 얼굴을 부비며
정말이지 버스는 오지 않고
나는 열다섯 번째로 뽕나무 곁에 묻히는 열대어가 될지도
모를
다음 주검을 기다린다

목요일의 패러독스1

그녀는 오줌을 너무 참았습니다
이미지 때문에
오줌보가 터져서
우리는 지린내를 뒤집어썼습니다

로터스 열매가 주렁주렁 열렸으나
실내에 만연한 건 플라스틱이었습니다
막차는 발음하기 어려워 그냥 떠나보냈습니다

늘 다른 곳으로 배송되는 새벽
절벽 끝에 앉는 것은 금지된 메뉴입니다
우리는 젓가락을 들어 서로를 찔러봅니다
발라드풍으로 졸아든 웃음이 다른 부위로 몰립니다

액자 구조를 벗어나지 못하는 대화에
후추를 훌훌 뿌려 놓고 기다리면 출구가 보입니다
재채기를 하면서 우리는 겨우 자기 밖으로 빠져나옵니다

설령 감추어 왔던 것이 누대의 전족이라 해도
기꺼이 발설하고픈 시간대를 그제야 막 통과합니다

카운터에서 나무 주걱에 매달린 화장실 키를 받아든 그녀가
오줌을 누러 갑니다 한 인간이 그렇게 완성되고
우리는 축배를 듭니다
계시가 없는 밤은 없습니다

목요일의 패러독스2

시소는 곧 지루해

놀이는 늘 먹먹해

아군인지 적군인지

비행편대처럼 출몰하는 초파리를

불을 켜면 타일 바닥을 기다 움찔하는 집게벌레를

보는 족족 잡아 죽이며

미안하다, 미안해

내 본의는 이게 아니야

문장의 마침표가 번진 것 같은 기분을

그 끝없는 허구들을

우리는 철판에 볶아요

어제는 숙주나물

숙취는 가시지 않고

가늘게 채 썬 오늘 대파는 내일의 대 파국을

쉰 김치로 얼버무리죠

삼겹살은 살아서

죽은 낙지를 어떻게 휘감아보려 하다가도
이게 무슨 소용인가
고추장을 뒤집어쓴 맨정신은
취하는 법이 없고

월화수 목 금토일

누구를 견인하거나
무엇을 인양하다가도
달력의 황금률은 가급적 주말에 무게 중심을 두지요
월말에 치우치는 월급날들과는 사촌지간입니다
몇 주 혹은 몇 년
유충과 애벌레의 시간을 지난
주먹구구식으로 덜어낸 본의를 와사비 간장에 듬뿍 찍어도
우리는 도무지 저물 수가 없어서

이 시소 놀이는 끝이 나질 않네요
주말도 아닌데

목요일의 패러독스3

우리는 거기에 있은 적이 있나
그곳이 있다는 걸 알기나 했나

아는 게 없다는 걸 조금은 아는 자들이 둘러앉아
어깨를 서구식으로 들었다 놓을 때
바다는 무슨 심장처럼 부풀어 오릅니다
잘 삭아서 독하게 쏘는 물고기들이 몰려옵니다

우리는 이미 찜도 회도 개관하였습니다
흐물흐물해진 가시를 씹어 삼키며
삼킬 수 없었던 말들을 뱉어냅니다
이런 날이 흔한 건 아니어서
서로의 미간을 열고 안을 한참씩 들여다보곤 합지요

여전히 인간은 부류별로 나누길 좋아합니다
영락없이 그대는 태어나자마자 헤엄을 친 족속의 후예
갈팡질팡하면서 나는 난생과 난태생 사이를

희뿌연 막걸리처럼 떠다닙니다

주머니 가득 물방울이 들어찹니다
구멍 숭숭 뚫린 말들이 속속 도착합니다
혀를 거푸 깨물기도 하면서
겨우 거기에 당도할 뻔합니다
가다가 키를 잃어버리는 레퍼토리는 바뀌지 않고
우리는 웅성거리는 한 떼의 자가당착을
오늘의 분량을 초과하며 늠름히 연기해냅니다

벚나무는 장미목 장미과

그대는 길치
나는 음치

도토리거위벌레가 굴 파놓은 굴참나무는
참나무목 참나무과

그대는 왼손으로
밥 먹고 글 쓰고
나는 비만 오면
우산도 없이 싸돌아다니고

굴참나무 가지에서 날아간 참새는
참새목 참새과
그런데 제비는 참새목 제비과

맥주 안주로 와삽와삽 씹고 있는 볶은 메뚜기가
아직 촉촉하던 배를 풀잎에 대곤 하던

그 옛날
우리 모두 만난 적이 있었지
굴참나무 아래에서
메뚜기가 메뚜기목 메뚜기과이듯
벚나무는 벚나무목 벚나무과가 될 수 있었을 때

아직 우리가 무어라고 나뉘기 전으로
족보를 파 올라가면
서로 발을 만져보고 싶은
그대와 나는 이란성 쌍둥이

그러나 족보 말미에서
종-속-과-목-강-문을 들락대다 보면
그 세심함도 부질없이
그대는 그저 남자
많고 많은 사물 중에 나는 여자

장소의 불문율
― 고시원

공유지는 1/n로 분할되지 않지
자기 패턴은 안 통하지

사방의 귀
사방의 입
사방의 눈

내게는 쪼그라드는 의식이 있는 거 같아,
말을 하면서도 의식과는 무관하게
악지로 파낸 귀지는
튕겨서 허공으로 날려버리지

옥상에서 종일 비를 맞는
팬티랑 청바지는 정작 아무 생각 없지
젖은 팬티를 껴입고
생애만큼 무거워진 청바지에 발을 집어넣는 것은
언제나 비의 처음 목격자

두 번째도 세 번째도 하체에서 물이 뚝뚝 흐르지

옥상이 없다면 세상은
그로테스크해졌을 거야
옥상이 자기를 3인칭으로 쓰는 관록으로
오늘은 햇볕의 평수를 두 뼘이나 늘리지
비치파라솔 아래 침이 질편한 재떨이
나쁜 걸 나쁘다고 말하지 않을 때
나는 어딘가 다녀온 거지

사람이 집을 닮아가는 속도와
집이 사람을 닮아가는 속도가
계단참에서 만나 안부를 주고받지
복도의 표정 구석의 숨결
그렇고 그런 가족이지

스물두 살 뚱뚱한 총무가

고무장갑도 끼지 않고
두툼한 쌀을 건성건성 씻어 안치지
밥과 김치 무료 제공에
밥을 해주는 이는 남자도 엄마만 같지
종지에 담긴 감정이 찔끔 엎질러지지

사소한 질문도 예민한 대답도 비켜가는
나는 내게 가장 식상한 동물이지
침엽수림을 새로 깔아도
체취는 종교처럼 동굴 밖까지 흘러넘치고

장소의 불문율
—폐가

눈 한 번 깜빡거리지 않고 떠 있는
인공위성 어떤 정신이기에
명아주 열매처럼 저리 골똘한가
육신이 떠나간 자리에
다른 행성에서 떠돌던 식물성 포자들이 날아든다
그가 수집하는 기울기들의 목록
플라스틱 향기는 내내 시들지 않고

대나무가 초가지붕을 뚫고 치솟았던 오래된 풍경 하나
꼬깃꼬깃 접힌 사지를 풀고 현생과 포개진다

육신이 어디선가 잘 썩어가는 동안
기계음 가득한 허공에서
정신만 홀로 남아 빛나는
집 한 채

장소의 불문율
─흡연구역

음소거한 화면처럼

문패 없는 대문처럼

골목이 한길을 데리고 몰려들어 온 샛골목처럼

납작한 귀, 납작한 입을 가진 도다리처럼

반으로 가른 생밤에서 반 동강난 밤벌레처럼

풀밭에서 기어와 오솔길 땡볕에서 말라죽는 지렁이처럼

나뭇가지 사이에 걸린 아기용 해먹처럼

새로 개비한 재래시장 간판처럼

버스정류장 벤치에서 가위바위보를 하는 연인처럼

이기면 남자 팔뚝 때리는 여자처럼

이기면 여자 볼에 키스하는 남자처럼

장소의 불문율
─공중화장실 ♀

역사가 공중(空中)에서 공중(公衆)으로 걸어왔듯이
공중에서 공중으로 걸어온 조바심이 쪼그려 앉는다
우리는 사해동포
꽃그늘에 앉을 때조차 이 자세는 바뀌지 않았다

우리의 세계는 자주
23시에서 24시로 질주하는 터널
도처의 휴지통에서 체액들은 범람한다

물때나 얼룩이나
손잡이나 소지품 걸개나
변기나 세면대나
오십보백보 젊으나 늙으나
나나 우리나
입구와 출구가 뒤엉키는
고속도로 휴게소나 지하철이나
문짝에 빗금 환기창을 달고 있는 술집 계단참이나

잡종의 넝쿨이 벽을 타고
억세게 뻗어나간다
닥쳐!
입 닥치고 들어!
입 닥치고
오늘은 집에나 가는 거야!
따귀를 갈긴 후 팔짱 낀 보스처럼
아무나 이렇게 당당할 수는 없는 법이다

장소의 불문율
―공동묘지

아버지!
아버지?
골목길을 지나는데 대문 안에서
누가 아버지를 부른다
어? 안쪽 어디선가 아버지가 대답한다

그러나 불러도 이 방에 안 계시고
불러도 저 뒤란에 안 계신
내 아버지

몇 년이 지나도록 나타나지 않은 아버지들은 모두
어디로 갔나

이상하지 않은가
아버지들의 행방이
내 아버지의 행방이

목수의 아내였던 어머니 겨울이면
허구한 날 술상을 차려냈던 어머니를 두고
아버지는 그러실 수 없는 거다
이상하지 않은가
아버지들은

멀리 가지도 못하면서
가 닿지 못하는 곳에 머물면서 아버지들은
그 끈을
그 체온을
그저 잔디 위에 널어놓으시면 다인가

히스테리 미스터리

잠을 자야 살지, 백야가 따라와 삼 년째 동거 중이다 그늘
한 점 주름 한 줄 없는 06시 10분에서 40분 사이 검은 비키
니 금발머리가 허구한 날 자맥질에 배영(背泳)질이고 게서
십여 분 거리 해변에선 스패니얼 계의 죽은 개 한 마리에 파
리가 떼로 들고 난다 영문도 모른 채 닳고 닳아 종잇장처럼
팔랑이는 핀란드만(灣)의 여름

발레리노가 그녀를 허공에 띄웠을 때 내가 그의 손을 잡
고 어둠을 벌컥 연다 스프링영양처럼 그녀가 공중을 딛고
있는 동안 타조 같은 나의 다리 몸통 부리가 퍽퍽 잘려나간
다 빛의 숄을 두른 채 그의 능선을 밟고 사뿐히 내려서는 그
녀 한번 날아보지도 못하고 나는 다시 객석에 갇혀

우리는 자연 공부를 이렇게 하며 살아요 낡은 빌라 불개
미가 줄지어 과자 부스러기를 물어 나른다 자신은 다른 종
족인 양 바퀴벌레가 천장을 가로지른다 주인 같은 자들의
의기양양에 월세방을 내주고 다시

테렐지 마지막 밤의 캠프파이어 때 사라진 그녀는 차 두 대로 그 일대를 헤집은 일행들에게 구릉에서 붙잡혔다 없, 애, 돌아가지, 단, 숨, 끊어지, 욧!

분해서 말도 안 나오던, 늑대에게 헌정하려던 숨통을 달고 돌아온

나는 좀 헷갈려요 혼자 있을 때조차 사생활을 연기하니 말이죠 그러지 않으려고 이를 악물어도 어느새 자신을 캐스팅하고 있지 않겠어요? 내 지갑에서 돈을 훔쳐 책갈피에 숨겨 놓으며 자동기술법으로 시침을 떼는

그녀가 누군지 누가 말해줄래요?

제2부

유산에 관한 두 개의 퍼즐

얼굴도 없고 이름도 없지만, 항상 저기 웅크리고* 앉아

안 태어난다는 것이 어떤 느낌인지를 음미하면서 아이들은

줄곧 자라 어느새 나보다 많이 늙었다

1

어루만지던 것에 머물지 않기 뿌리치기 뒤돌아보지 말기
떠나는 자의 야망은 거침이 없다 차디찬 이마 펀펀한 가슴
자신부터 단칼에 벤다 콸콸 솟구치는 피 빠르게 냉각된다
재사용이 불가능한 알루미늄 튜브 쓰레기통은 붐비고 신파
는 멸종했다 돌아가는 길을 저장하시겠습니까? 무심한 손
가락은 뇌보다 빠르다 급습 당한 '아니오'는 미처 피하지 못
하고 레일 위에 엎드려 자신의 폭발을 껴안는다 못처럼 납
작해진 문장들을 영영 잃는다

2

과도기가 아닌 적이 없는 세상 과도기잖아, 들이대면 풀

---

* 옥타비오 파스, 『활과 리라』, 솔, p.177

리지 않는 일이 없다 사과를 깎다가 살을 벤다 우산이 없어
비를 맞는다 징조가 난무한다 조건반사적 체질로 양질 전화
중 반성은 금물 증거 인멸은 필수 오, 자기 연민이 새삼스레
들끓는다 시작은 창대했으나 끝이 미약해지는 시대 풍조 자
신과의 공모가 가장 힘이 세다 돌아가는 길을 저장하시겠습
니까? '아니오'는 다 이해한다고 생각하며 통증 없는 대목을
마저 잃는다

이력

몸에 물이 가득 차서 아주 천천히 걸어야 해 한 방울이라
도 흘리면 마른 흙이 제 몸을 둘둘 말아 걷어들고 따라올 거
야 발꿈치를 밟히면 내 피를 다 받아먹은 흙은 되돌아서고

유배에서 돌아와 그의 동굴 앞에 선다 고대의 시간으로
깊어진 어둠을 짐승의 숨소리가 들었다 놓는다 한 눈을 뜨
고 자는 그의 버릇은 변하지 않았다 세상에 겁을 먹은 적은
한 번도 없고 거만하기는 하늘을 찌르는

사다릴 타고 오르면 안개 지피는 무덤가 얼마나 더듬었는
지 길이 들어 한쪽으로 쏠린 잔디 구두 밑창은 잠들고 집 못
찾는 귀신은 없다 만나지는 못하고 지루해서 하품을 할 뿐

노을이 지평선에 손을 닦고 불을 끄는 저녁 적막한 허공
에 순(筍)을 틀어 나부끼는 혀가 참고 발설하지 않은 이력들
이 오글거린다

본말과 전말 사이

—2013년, 아시아에서는 최초로 부산아쿠아리움이 위디해룡
스물여덟 마리를 인공부화시켰다. 수조 앞에 두 시간째 앉아,

나뭇가지에 미역이 싹 튼 것 같은
저 이상한 몸뚱이를 보면서
엄마, 나는
너무 쉽사리 부화된 내가 오늘은
이상해 죽겠어

너울너울 자라나 이윽고
몸뚱이를 다 덮어버리는 해초 씨앗을
엄마는 왜 내 몸에 심어주지 않았을까

해초 다발인 줄 알고 작은 물고기들은 놀러오고
큰 물고기들은 길을 비켜줄 텐데

날 배경 화면으로 지정하는 사람은 아무도 없고

전설도
신화도
내게서는 싹틀 기미가 없고

너무도 쉽사리 부화돼
물고기도 아니고
해초도 아닌 시를
어렵사리 쓰고 있는 내가

엄마, 오늘따라
이상해 죽겠어

주머니에 시집 한 권이 쑥 들어가는 코트를 입고

북경발 비행기 안이었습니다 5박 6일 간 배갈에 맛들인 육신에 공중 급유를 하듯 스튜어디스는 칭따오 맥주를 가져 왔습니다 차디참이 생명이니 생명 하나 살리는 셈 치고 늘 나는 마개를 성급히 따곤 하는데 옆자리 그녀 캔에 맺힌 물기를 냅킨으로 조용히 닦아내기 시작했지요 사려 깊은 그녀가 말했어요 이제 보니 남편 선물을 하나도 안 샀네요 선물로 갖다 주려구요

시인인 그녀
모자만 백 개가 넘는 그녀
남편이 고위직에 있는 그녀

시집 한 권이 쑥 들어가는 코트 주머니에 캔맥주 두 개를 찔러 넣고
나는 자주 산책을 나갑니다

원피스용 비단을 두 필 산 그녀
에메랄드 차 주전자와 찻잔 세트를 산 그녀

비취 귀고리와 팔찌
친구들의 반지 알도 천 위안씩에 산 그녀
한약을 짓고
면세점에서 룸메이트였던 내게
마오타이도 한 병 사준 그녀

귀여운 그녀
칭따오를 선물 받은 남편의 사랑을 듬뿍 받으며
모자 그늘에 잠겨
푸르스름한 눈빛을 발산하는

만난 지 오래
먼 곳에서
와인처럼 따사롭게 익어가다가

시집으로 말하는 그녀
여덟 번째 시집이 당도했습니다

공원묘지

떠내려 온 시간들의
삼각주

엎디어
잠잠히 내려다본다

산 자들이 또 죽은 시간 하나
들쳐 매었구나

저 가벼운

스티로폼 한 조각이

　고여 있는 물 위에 스티로폼 한 조각이 떠 있었다 머리카락 한 올도 날리지 않았다 거미도 거미줄도, 물에 비친 나무 그림자가 숨죽이고 유리 눈알처럼 반들거렸다 소리 나는 것들은 다 죽는다 숨소리만 입속에 가득 고였다 꿀꺽 침 삼키는 소리에 풍경을 깨뜨리며 개처럼 달려드는

　앰뷸런스, 타이어 자국 시퍼런 쿠션에 목이 덜렁 얹혀 있다 오그려 누운 채 손끝 하나 까딱하지 못한다 감은 눈 밖에서 커튼 밖에서 나뭇가지가 흔들린다 수은등이 쪼그려 앉는다 낸들 알게 뭐냐는 듯 사이렌은 긴 꼬리를 한 순간에 뚝 자르고 사라진다

　토막 난 잠이 칼에 벤 살갗처럼 써늘하다 거실 구석 종이박스에 바게트처럼 꽂혀 있는 스티로폼 막대 물 자국 하나 내지 않고 먼 길을 걸어왔구나 시간대에 따라 다른 소리로 삐걱대는 거실 바닥 한 편에서 오지항아리에 꽂아둔 소국(小菊) 밑둥이 내뿜는 그윽한 악취

베란다 쪽 스크린으로 관객 하나 등장한다 낡고 시든 골목길 비틀거리며 흥청거리며 부스러기 눈발 희끗거린다 물자국 하나 내지 않고 먼 길을 걸어와 내 창을 지나 그는 문을 닫고 자기 꿈속으로 들어간다 죽은 평화가 고여 있는 내가 다녀온 호숫가 그 집

내가 버스를 놓쳤다면

기네스 팰트로가 지하철을 탔다면
혹은 놓쳤다면
영화*는 두 가지 가능성을 복잡하게 상상하지만
영화는 영화고,
나는 냅다 뛰어서 버스를 탄다

목이라도 집어넣어 주길 바라는 걸까
움켜잡으려 하자 손잡이는 괜히 몇 번 앞뒤로 흔들리며
올가미 흉내를 낸다
도망칠 수 있는 인생은 없다는 듯이
올가미는 천장에 튼튼하게 붙박여 있다

가방을 무릎에 얹고 한 학생이 졸고 있다
몸이 쏠리는 쪽으로 어쨌든 가고 보자는 듯
고개가 흔들리는 대로

---

* 피터 호윗 감독, 〈슬라이딩 도어즈〉

줄기 하얀 길이 난다 목덜미를

버스는 냅다 밟고 달린다

내가 버스를 놓쳤다면,

다음 버스를 타고 가다 충돌 사고를 당했다면,

합석한 택시에서 우연히 옛 애인을 만났다면,

이왕 늦은 거, 서점에 들러 나를 옭아매는 책 한 권 더 샀
다면,

아랑곳하지 않고

예술의전당역 근처 담벼락에 능소화가 피어 있다

담벼락이 도무지 꽃 색깔을 삭이지 못하는 동안

능소화를 배경으로 앉아 있는 벤치의 남녀는 그러니까 덩
달아

먼 길을 돌아와서도 아직 살갑게 만나지 못하고

먼지 낀 제 구두나 내려다보며

저리 따로 앉아 있는데

스크린이 바뀐다

버스를 놓친

가보지 않은 길들이 버스를 휙휙 지나친다

사소한 다큐

2월에 핀 개나리가 미풍에 한껏 흔들렸어요 아홉 시 뉴스는 단박에 노곤해졌지만 그 정도는 풍문도 되지 못해요 어느 해 장례를 마치고 내려오는 산자락에서 12월의 개나리도 노랗게 번졌는걸요 이들을 마음에 옮겨 꽂은 후 세상의 꽃은 하나도 남지 않고 입을 다문 하나의 계절이 차올랐죠

겨울비가 세차게 내렸어요 시동을 끄고 의자를 뒤로 눕히자 수백 수천의 목소리가 갈가리 찢어졌죠 모든 독백은 아웃 이빨 부딪치는 소리가 낱낱의 목소리를 잡아먹고도 모자라 걸신이 들려 초 단위로 울부짖었죠 겁을 먹고 와들와들 떠는 차체를 끌어안으면 세상의 비는 하나도 남지 않고 잠 속으로 쏟아져 들어왔어요 볕에 내다 말려도 마음에선 물이 줄줄 흐르고 위에서 내려다보면 오늘도 주차장 가득 낭자한 햇빛

빈 병이 되기 전의 과거사는 아웃
빈 병이 되지 못해 다시 허구가 될 미래사도 아웃

사소한 실수처럼 화면 속의 꽃들은 매번 상투적으로 흔들
리지만

　마른 눈물 줄기를 꽂을 빈 병만 남겨놓고
　모두 아웃

편지1

차도도
인도도
물론 결이지
물에도 바람에도 있는 결

생각해 봐
차도는 인도로 가지 못하고
물결은 바람결과 가는 길이 달라
영 달라
사람이 흙이 되고
많은 이들이 떠나간 다음에도 세월만
저 홀로 질기게 남아

사람, 그
물기 말리는 돌, 그
지층, 쥐라기의 결에
엎드리는
가을날 당신의 편지

편지2

메마른 웃음소리에 기름을 치고
나는 가끔 당신께 간다
비루먹은 말 한 마리 어정거리면
차가운 귓밥을 만져 주었다

자기 몸 껴안고 세상을 뜨는 이들
외로움도 철학이라
길 가는 동안에도 좀처럼
동행이 없지

만삭 풀 듯
일생에 한두 번 눈 내리는
막다른 골목에서
나의 원형인 당신을 본다

비질 자국 푸르나
종이꽃 같은

개화 이틀 전

결혼식 이틀 전에 결혼을 벗어버리고
열차 시간을 알아보던 내 영혼의 일부는
양수리나 대관령쯤서 망울진 채
낡은 주머니 같은 우연에 닿는 나를
만난다, 오늘
처녀 젖꼭지처럼 단호한 꽃망울

바람이 무덤인 꽃은 지지 않는다
들판에서 아일 낳아
소슬한 별자리로 띄울 뿐

이루지 못한 꿈은 어디로 가나
모든 떠도는 것에
빛나는 그늘 같은 슬픔이 되나
아하, 그래서 우리는 방랑하나

봄에는 밤이 붐빈다

육신을 떠나
모든 푸름에서 발아한 부류들이
우연에 닿느라
숨이 차다

불러오기1

송장메뚜기는 송장을 파먹고 산대

말은 차돌처럼 굴러 거친 바위

은자처럼 돌아앉은 송장메뚜기 앞으로 굴러갔다

애들은 퉤, 퉤, 퉤 침을 뱉고 달음박질쳤다

열 번 들어도 열 번 무서워

한두 명은 꼭 근처 무덤에 발목 잡혀 넘어졌다

두 살 아래 여동생이 무릎을 깨고

뒤도 안 돌아보고 달아났던 내가

엄마에게 부지깽이로 맞던 날

불러올 수 있을까

송장메뚜기에게 파먹히지 않을 거니 다행이야

동네 야산 주인 없는 무덤 하나 차지하지 못하고

열 살에 화장터로 실려 간 그 애를

심장이 마비되어 윗목에 하루 낮밤

잠자듯 놓여 있던 그 애를 두고

넋이 나간 엄마 몰래 웃었던 나를

비밀번호를 공유하는 애인 호출하듯

열 번 말해도 열 번 다

외상처럼 불려나와

그 오래된 술주정을 묵묵히 듣던 송장메뚜기를

불러오기2

무슨 날들이 무슨 굵은 시간들이 뚫고 지나간
처녀막을 PC에 가둔다
파워 오프
밤에 홀로 작업하는 두뇌처럼 의심스런
검은 풀잎 수북수북 자라 화면을 덮었다
길이 묻힌다
길을 잃는다
잠꼬대를 한다
한동안 당신은 무덤이다

무덤에 핀 흔치 않은 꽃 한 송이
바람이 끝없이 실어 나른 못 눈물의 소금기다

어둠 속의 빛과 연애하는 빛 속의 어둠이 갈망이
파워 온
당신을 불러오기 한다, 칡넝쿨을 걷으며
매번 출혈하는 처녀성이 걸어나온다

한 인격을 이룬 숲을 배경으로 자막이 뜬다
당신과 만나는 나의 근황 그
뒷모습이 보인다

못의 지대

가구들이 편안해지자
새로 바른 매화 벽지도 사방으로 팽팽히 당겨졌다
이제 못만 박으면 이사는
완료되는 것이다

여자는 거울과 액자 두 개
아코디언처럼 접혀지는 옷걸이를 벽에 대보곤 볼펜으로
점을 찍는다 본능적으로
점은 못대가리를 닮았다

대가리를 치켜들면서 못은
구부러지고 튀어 달아난다
벌써 몇 개쩬지 여자는
손으로 관자놀이를 꾹꾹 누른다
불이 팍팍 꺼진다
못의 지대는 방전된다
저절로 길이 열리고 부드럽게 스며들어

상처 하나 없이 아무는 생을 여자는
살아왔던 것이다

  나는 물때 낀 작은 연못
  나는 갈비뼈 일렁이는 물풀
  나는 잉어새끼 아무 데나 입을 대보는
  나는 물

  거꾸로 쏟아져 드는 오후의
  수선화 나는
  물살에 밀리는 꽃 그림자 나는
  깊숙이 가라앉는 꿈
  나는 꽃

고개를 들며 여자는
못대가리로는 가릴 수 없이 난자당한 자신의 심연을
일평생 처음으로 보게 되었다

진양조로, 과양각시* 왈

　입동 이른 아침 미적거리던 웅덩이마다 살얼음이 끼었겠
구나 앉아서 삼천리라 전날은 비가 많이도 왔고 또 오시려
는지 공기는 한 군데로 쏠리고 하아 축축해지는 날개 무겁
게 휘저어보지만 애들 손바닥에도 납작 죽어나가는 이 꼬
라지 절기가 마춰제를 휘두르는지 노인네들이 추억에 사
는 이유를 알겠고나 아무리 침 발라도 윤기 돌지 않는 육신
이나 날개에 물기 빠진 겨울 모기나 오십보백보 그래도 그
중 나은 내 말 들어봐라 자랑이라면 자랑인 내 날갯소리 한
여름 모기장에도 방충망에도 길은 나 있어 앵 날아들며 그
대들 잠 귀퉁이 썸뻑 베어내는, 장사도 거인도 소용없지 철
퍽 곰 같은 손바닥만 뜨거워질 뿐 농 위로 벽에 걸린 옷 그
늘로 사뿐 스며드는 그 맵신 어떻더냐 살맛 좋은 이들의 피
부는 발갛게 부어오르고 나는 새까맣게 독이 올랐더니라 언

---

*　과양생이의 각시. 이들 부부는 주막을 차려놓고 과객의 재물을 뺏
　고 죽이는 등 악행을 일삼았다. 염라대왕이 그 죄를 물어 갈가리 찢
　어죽이고 가루로 빻아 날려 보내자 이들은 모기와 각다귀로 환생하
　였다. 「차사본풀이」에 수록된 제주도 신화.

감생심 엄동설한에 외가 있었더냐 딸기가 있었더냐 시절이 하수상하여 문턱도 없이 계절이 사라지고 돈이 없지 수박이 없냐 포도가 없냐 돈 있으니 모기는 없냐 각다귀는 또 없냐 동지를 견디고도 정월을 넘어서는 이력이 이러하니 나 죽어도 죽는 것이 아니다 곱게 빻은 우리네 몸은 끝없이 되살아나 내가 죽어도 또 나는 살고 과양생이 낭군님아 당신도 살고 이 계절 하루에 몇이 죽어나가도 내일이면 또 우린 홀연히 날아다닌다 호호호 사람 홀려 재물 뺏는 일이 생전의 업이요 남의 피를 뺏는 일이 사후의 업일진대 염라대왕의 공덕으로 유사 이전에 영생 얻었으니 오늘의 나는 의당 천 년 전의 나인지라 난방 홧홧한 아파트에서 혹여 오금 저려하는 겨울 모기 보거들랑 보시들 하소 동서고금 어디라도 베푸는 자 이룬 자라 지긋이 팔뚝에 내려앉아 그대들의 젯밥을 받으리니 호호 젯밥에 독을 타 열배 백배로 탱탱하게 갚아 주리니 잊었던 옛사랑을 가렵게 덧내 벅벅 긁어대고 싶은 들을 귀 있는 자들아

제3부

촛불을 연다
—혁명 1주년

촛불을 위해
촛불이 촛불을 연다

파라핀에서 시작된 역사로 가득 차 있는 내부
검고 두꺼운 걸음들이 직전에서 제자리걸음을 하고 있는

직전이라는 소용돌이
제자리걸음이라는 뇌관

엘이디 촛불이 촛불을 복사하듯
행동이 의식을 복사하듯
스위치를 밀어 올리면
바르르 떨리는 직전

잠 못 드는 오늘이 활활 촛농을 흘릴 때
직전의 고요와 함성을 다 데리고
매일이고 넘어서야 할
두려운 혁명의 내부

수건의 고독사

수건이 수생 식물에서 진화하여 공중 식물이 되었다는 건
세상이 다 아는 사실이다
    틸란드시아*나 디시디아**가 수건의 일종이듯
    심지어 박쥐란***이 잔털로 수건의 돌기를 연기하듯
    연사, 무연사, 죽사, 코마사, 극세사는 식물의 조직에 대한
분류 명세다
    습기 많은 날 수건이 눅눅해지는 건 이제 곧 잎을 뻗고 뿌
리를 공중에 늘어뜨릴 때가 되었다는 신호다

    물기라면 사족을 못 쓰고 수건이 덤비는 건 저 물 밑바닥
에 뿌리를 박고 물결에 일렁이던 추억 때문
    누가 수건의 전생을 형상화했는지
    쓰다듬는 대로 돌기는 이리저리 일렁인다

    하고많은 집 중에 물기도 온기도 곡기도 끊긴 집
    미라가 뭔가 물기 고스란히 빠진 신체
    사건은 일단락되었다 차마 시취를 빨아들이지는 못하고

눈물도 없이

　마지막으로 빨아 널린 자세로 잎도 뿌리도 내리지 못한 채

　방을 가로지른 줄에서 자기가 공중 식물이란 사실만 다시

한 번 입증한 채

---

*, **, ***　흙도 필요 없이 공중의 습기만으로 생장가능한 공중 식물의
　　　　　일종

플라스틱 수프

아가들은 엄마, 아빠, 다음에 안 돼,를 배운다 후춧가루처럼 톡 쏘는 재채기처럼 눈을 감는 잠처럼 뒤척이는 버릇들 안 돼,는 생채처럼 젊고 생채기처럼 날카롭다 무기를 덜그럭거리며 사람들이 걸어 다닌다 아무리 안 돼,로 무장해도 상대의 안 돼,가 종종 더 위력적이다 안 돼,만 있으면 좋아질 것 같은 세상이 안 돼,로 나빠지는 건 아무리 많이 배운 사람도 풀 수 없는 난제다 난사람이란 난제를 푸는 사람을 일컫는 말 이들이 해법을 찾아 나섰다가 된통 망가져 안 돼,라고 울부짖는 소리는 듣기에도 끔찍하다 그럴 때마다 안 돼,는 더욱 상승하고 증식하고 덩달아 과소비 된다 안 돼,는 발 없는 말이 천 리 간다는 속담을 타고 이천 리 삼천 리 만리를 흘러간다 인류는 안 돼,로 결속되고 틈틈이 우주 저 너머로 안 돼,를 발사하기까지 한다 우주 일은 난 몰라요 이런 판이니 누가 태평양 따위에 관심이나 쏟겠는가

태평양 환류지대에 남한 땅덩이의 일곱 배 되는 섬이 떠 있다

76

성긴 뿔처럼 질긴 입처럼 플라스틱들은 잘게 부서져 걸쭉
해졌다

플라스틱 수프를 플랑크톤이 먹는다

플랑크톤을 작은 물고기가 먹는다

작은 물고기를 큰 물고기가 먹는다

갖은 양념을 더해 큰 물고기를 사람이 먹는다

안 돼,를 목소리 더 큰 안 돼,가 제압한다

이래도저래도 안 돼,는 안 된다

스트레칭이 인체에 미치는 영향

팔다리를 쭉 뻗으면서
굽히고 비틀고 꺾으면서
부위별로 문안해주세요

강변도로 여의도방향 광장동인지를 지나다 보면
오른쪽 기슭으로 다년생 덤불들이 몇 자루나 서 있거든요
고속도로변 산자락에도 칡넝쿨이 올라타
여름에는 초록자루
겨울에는 갈색자루
압사한 나무가 자루 틈새로
심장이 오그라들던 마지막 순간의 눈빛을 보내고 있어요
움막집처럼 그 나무들
스트레칭이 부족했던 거지요

정글이 몰려온다!
거미들이 몰려온다!
CCTV가 수십 겹 수백 겹 어깨를 걸고

폭력이 미세먼지처럼 다정하게 내려앉을 때

낫으로 자루 밑둥치 씀뻑 베듯이
군살이 당신을 타고 올라 찍어 누르기 전에
어떤 자세로 펄럭일지 상상해 봐요

팔다리를 쭉 뻗으면서
굽히고 비틀고 꺾으면서
부위별로 문안하면서

인간적 패턴

새소리가 끊겼다

반경 몇 십 미터가 통째로 비워졌다

수리매 한 마리가

무거워진 몸으로 날아올랐다

흩어진 깃털들이 깜빡 잊고 함께 날아오를 뻔 했다

오래된 아파트의 묵은 나무 아래

비둘기의 생처럼 짧은 뼈마디 한 개가 산란 전이었을 제

알 가까이 놓여 있었다 핏기 발긋한 뼈와 말캉한 알이 한 방

에서 모녀가 나란히 군인 둘에게 겁간 당하던 전쟁소설의

한 장면처럼 서로 눈이 마주쳤던 한 순간처럼

단숨에 움켜잡아 숨통부터 끊고 깃털 하나하나 부리로 뽑

아내던

수리매는 동물적이다 거위들은 산 채로 털이 뜯겼다

생애 열 번은 그렇게 울부짖어야 한다

어떻게든 인간을

동물적으로 감싸주기 위해
맨살을 빨갛게 드러낸 채 열 번은 그렇게

몇 날 며칠 만에
비둘기 알은 곪고
낙엽에 엉겨 붙은 깃털 몇 개
척추였을 뼈마디가 보이지 않는다
현장은 훼손되었다
내가 구스다운 이불을 덮고 잠든 밤들 사이 그 어디쯤에서

호치키스가 없다면 우리 사랑

장미다발에 의하면 이는 틀림없는 사실이야 설마 꽃이 거짓을 말하겠니? 포장을 풀어 잘 마른 장미를 빈 병에 꽂으려던 참이었어 금색으로 코팅된 철사줄에 챙챙 묶였던 짙은 코발트색 기름종이도 철컥, 철컥, 반짝이가 묻어나는 망사도 투명비닐도 철컥, 철컥, 옥색 한지도 철컥, 철컥, 브래지어 호크 벗기듯 모두 풀고 나니 지들끼리 부풀어 올라 버석대고 난장을 부리는 게 아니겠니? 호치키스가 없다면 스카치테이프에 칭칭 동여져 이제는 화석처럼 굳은 물 젖은 화장지를 감싼 쿠킹호일을 발레슈즈처럼 신은 흑장미 열 송이는 장미다발이 될 수 없다는 거지 너는 신이 주신 선물이야 너를 낳아준 네 부모님께 감사해 철컥, 철컥, 너 없는 세상은 상상할 수도 없어, 철컥, 정말 사랑해 눈짓과 애무로 철컥, 철컥, 들통 난 양다리 무마용 선물상자로 우리는 다시 밀착되는 거고 안 그래? 위기탈출 겸 감동창출 전문가 맥가이버가 어느 노부부와 함께 위기상황에서 탈출한 직후 뭘 했게? 아니나 다를까 맥가이버가 노인에게 몰래 건넨 건 신문지에 둘둘 만 들꽃 몇 송이였지 사랑해 여보 꽃을 받아든

아내도 시청자도 가슴 뭉클 눈물 찔끔 흘렸지만 이제 호치키스 없이 누가 장미에조차 감동 먹겠어? 꽃잎이 바스러지면서 희미하게 번지는 향기 따윈 구닥다리 신파고 철컥, 철컥, 철컥, 사랑은 화이트데이 사탕바구니 크기에 비례하지 호치키스로 누빈 막장드라마 우리의 로망도 그 속에서 철컥, 철컥, 철컥, 붙어먹는 거야

간도 쓸개도 조문(弔問)도 없이

　입덧하는지 서대회 무침이 급 땡겨요

　많이 크셨네 입덧도 하시고/ 헐 입덧도 전염성임? 미투
급 땡김/ 전 한 차례 지나가심 면역력 떨어지는지 또 군침
이/ 일종의 정신의 딸꾹질?/ 육체의 투레질!

　띄엄띄엄 도착한 단톡방 답글을 몰아 보는 밤
　글 뒤의 이모티콘을 떼었다 붙였다 하며 놀아보는 밤

　(토끼가 물수건을 탁탁 털어 보여주며 자, 봐라 나는 간이 없는 자
없는 간을 가진 자 자기 간이 있는지 없는지 몰라 거북이가 노란 물을
토하네 토끼는 일평생 토할 것 같은 기미만 가지고 살아온 이름이 억
울해 천지사방 간을 팔고 다녔네 서대회 무침 한 접시를 먹다 말고 구
구절절이 사무쳐 둘은 사랑을 했네 덜컥 토끼가 입덧을 하네 나이가
오십인데,)

　놀다가 먼 데까지 가보는 밤

84

물수건만 한 간을 빨아 널지는 못하고
차표처럼 주머니에 찔러 넣었다가
어디선지 잃고 돌아오지 못하는 밤

시대정신 같은 밤비행기 가물가물 지나가는 하늘 아래
돌아가지 못한 자들끼리
불 꺼진 한 주 전의 서대횟집 앞에서
간도 쓸개도 없이 킬킬대는 밤

비천무(卑賤舞)
—궁중예술단·2014

그사이
춤꾼들은 차곡차곡
몇 필인지 키를 넘겨 쌓여있는
비단을, 아니
비탄을, 아니
비천을 풀어
손등을 어깨를 희롱하였다
돌아라, 돌아라, 돌아라
서로 둘둘 말았다가 풀었다가 하면서도
춤사위는 흐트러짐이 없었다
혈통 같은 것이 흐르고 있었다
열린 입으로 한 목소리를 내려고
서로 입술을 꿰매주며 단속하다
밖에서 누가 다른 소리를 하면 질펀하니
실밥 쥐어뜯으며 피를 흩뿌리며
절대 기대를 저버리지 않았다
문지방만 한 격을 지켰다

돌아라, 돌아라, 돌아라
냉정을, 아니
냉담을, 아니
냉혹을 콘크리트 같은 맹목이 지지하고 있었다
배신은 있을 수 없었다
돌아라, 돌아라, 돌아라
비단결 같은 파시즘 이미지 천국에서
태생적으로 그만그만하기도 쉽지 않았다
말로 차린 잔칫상이 그들먹하였다

그 사이
돌아오지 않는 자들이 늘어갔다
아홉이 오지 않으면
마중 나간 아흔아홉도 오지 않았다
일찍이 바다가 길 건너에까지 와서 사무쳤던 적이 없었듯
백 개의 무리도 천 개의 무리도 나가 바닷물에 발을 적셨다

아홉이

사람들을 다 데리고 오지 못하는 동안에도

춤꾼들의 풍악 소리는 멈추지 않았다

우리의 양식
 ―노동열사 전상서

거기까지는 차마 가지 못한다
숯불을 디디는 맨발로도
열 동이의 눈물로도
백 권의 책으로도

그대가 우리의 준엄한 양식(樣式)이다
노동이 이 시대의 고결한 양식(糧食)이다, 참과 조롱 사이에서
겨우 그대를 잊지 않고 지내는 나날들
부끄러움은 우리의 새 거주지가 되었다

바리게이트
물대포
채증

날것의 자본 날것의 체제 생살 뜯어먹는
날것의 역사를 자백하는 목록 뒤에서

죽임이 삭발을 부르고
죽임이 단식을 부르고
죽임이 깃발을 부르고
죽임이 물가에 둘러 핀 수선화처럼 연대를 부를 때

죽음이 살아나
죽임을 호명한다 두려운 줄도 모르고
죽임의 목록들은 TV에서 신문에서 엔터테인먼트하다

353일의 불면*

그릇을 엎어 놓는다 엇갈리면서 그릇들이 길을 낸다 그릇
의 물기는 저 홀로 마르지 않는다 손이 손을 잡고 어깨와 어
깨가 무릎이 무릎을 보탠다 물의 근육들이 투명해진다

이생의 물기는 저 혼자 마르지 않는다 한 죽음이 한 살음
과 섞이듯 눈물이 먼저 다른 눈물을 훔쳐준다 누가 누구를
위로하는가 더 아픈 자가, 더 없는 자가, 더 슬픈 자가 직관
적으로 세상을 볼 때

갈 수 없음이 보낼 수 없음을 압도한다 감은 채 부릅뜬 눈
애통한 영혼 산 자들에게 내미는 굳은 주먹 한 생애가 353
일 속에 다 들어있다

---

* 현대차와 그 하청업체인 유성기업의 계획적인 노조파괴로 인해 세
상을 뜬 한광호 조합원의 장례는 그 책임을 물어 유성기업 회장이
법정 구속된 뒤에야 겨우 치러졌다(2017년 3월 4일). 유명을 달리한
지 353일 만이었다. 장례식 전날 광화문 추모제에서 낭독한 시.

설거지를 할 것이다 우리는 국물과 건더기로부터 곰팡이
로부터 부조리와 몰상식으로부터 적폐로부터 기어코 굽은
길을 펼쳐 헹궈내면서 나날이 물기 마른 그릇을 찬장에 쌓
으면서

이제 보내 드린다 갈 수 없음도 보낼 수 없음도 다 데리고
가셔야 한다 너무 오래 쉬지 않고 깨어 있었다

출근길

보도블록 위에
플라타너스 이파리가 툭,
퇴근길의 호프집
무거운 빈 잔 내려놓는 소리

붉은색이 초록보다
더 춥다 초겨울의 기미
열기 없는 신호등이 더디게 바뀐다
누구는 뒷모습으로 건너가고
누구는 앞모습으로 건너온다
옆모습을 보여주던 사람이 뒷모습으로 뭉개진다

제 자리에 선 채
고정시점으로 눈을 부릅떠도
심상이 흔들리는데
어쩔 수 없이 햇살은 바람에 쓸려 가는데

택시 뒷좌석에 앉은 사람은

주전자 같고

작년부터 현관문에 매달려 있는 성탄절 화환 같다

목이 잘려 보이는 기사와

갓 조립된 세트다

이-메일이 툭 떨어졌다

상투적인 조짐도 없이

해고는 그렇게 왔다 어젯밤

한낱 광고처럼 허물없이

가을 전어

집 나간 며느리도 돌아왔으니
한잔해야지 않겠느냐고 C가 파발을 돌렸다
해묵은 며느릿감들이 두 시간여에 걸쳐 모여들었다

오늘은 사십대가 둘 삼십대가 셋 오십대 하나
자칭 연애지상주의자 유미주의자가 과반을 넘는
그래 그런지
어째 결혼 소식은 깜깜한

그물코에 수두룩이 꽂힌 전어들처럼
기름기 잘잘 흐르던 시절도
불과 연기를 지나며
등이 툭툭 터져 나갔다

돌아온 며느리에 건배를 하며 그런데
돌아온 며느리를 시부모가 받아들였을까 내쳤을까
궁금하지도 않은 대목에 의문부호를 찍으며

도망과 망명 사이에서
자살과 혁명 사이에서
어느 지점에도 뿌리 내리지 않는
집 나갈 며느리들일시 분명한
잠정적으로 돌아오지 않을 며느릿감들이

알레고리

이제 사막은 질렸다

오늘 2차에서만도 사막 두 접시를 서비스 받았다

저희 사장님께서 특별히 서비스해 드리는 겁니다

다 먹었으면 대충 나가달라는 은유도 들척지근했다

사막풍빌라분양 최첨단사막소재; 8억5천만원 (사막정원은
옵션)

사막경유유럽행특별기주2회운항; 왕복160만원

신춘문예당선지침; 내면의사막구성력 및 불가시적현실사
막장악력

사막을 재빨리 반영한 안목으로

돈을 챙기고 권력을 얻은 자가 성인 인구 대비 0.001프로

주식투자하듯 빚 얻어 덤벼든 자가 10프로

영문도 모르고 사막을 카피해댄 자가 내림하여 50프로

도처에 널린 게 사막이다

사막독법은 대학1년생의 교양필수과목이지만

배우지 않고도
　사막연애 사막유머 사막심리학 사막정치 사막재즈 사막
명상
　사람들은 모르는 게 없다

　바위를 날라 오는 정신으로
　사막은 낮밤으로 날아와
　현관문 앞에 수북이 쌓인다
　문이 안 열린다

　오! 저 사막 좀 어떻게 해 줘!
　죽어서도 산 것들을 잠식하는
　저, 저, 증식하는

　입!

제4부

과정도 비약도 없이

인터라켄에서 융프라우까지 가는 동안
나는 일생을 소진했다
밀도 높고 유속은 느린 시간이 상공에 머물렀다

인터라켄 벤치에 앉아
어두워 오는 산 그림자로 뜨개질을 하고 있던
휴양객은 누가 보낸 선물일까
나는 도무지 가로등을 벗어날 수 없었다
잔디밭 귀뚜리는 잔등이 오래 반짝였다
이 옷은 이 세상에 하나뿐인 너의 울음이다

해발 삼천오백 미터 만년설 위에
큰검정들모기가 빙하도 크레바스도 잊고
엎드린 채 죽어 있었다

우연처럼
나는 썩지 않을 것이다

축 생일

야아 우리 미국으로 도망치자
인사동 길을 느린 물살처럼 빠져나가는 사람들을 내려다
보며
커피잔 속 검은 입술에 입술을 맞대는데
야아 우리 티베트로 도망치자 인도로 가나로 아르헨티나로

그가 우리라고 했을 때
둘만 달랑 들어앉을 수 있는 쇠별꽃 속 오롯한 방 한 칸이
지상에 뜬다 7월 HUE의 옥상테라스
유럽식으로 차를 마시며 미국 쪽을 돌아다 볼 때

도망은 도적질처럼 해야 하는 것
무수한 끈을 간단없이 끊어버리고
뒤돌아보지 않는 것, 도망치자 가진 것 없이
도망쳐서 다신 돌아오지 않는 음악이 되자

가난한 연인들의

무수한 도망이 가 닿지 못하는 미국은
땡볕 너머 도처에 널려 있다
사실은 지천으로 밟혀서 닳고 닳은 길
로프처럼 끊어져 이을 수 없는 길

카페 HUE에서 푸른 담배 연기가 피어오르는 오후
탁자 하나 사이에 두고 너는 문자 메시지를 보낸다

생일날 봉투 하나 받고 싶다
축시가 담긴

그러나 야아 우리 미국으로 도망치자여
여기 축시 대신 오랫동안 매만져온 새 길을 넣어 발송한다
비자 대신
미국 대신
한국의 반대쪽 아르헨티나 대신
가진 게 너밖에 없는 나로부터

가진 게 나밖에 없는 너로부터

서로 힘껏 달아날

그런,

대문의 근황

대문을 여밀수록
길은 거칠게 걸어와 멈춰 섰다
대문이 높을수록 악수할 손도
담벼락에 두를 손도 남겨두지 않았다
나는 참 오래 살아왔군,
머리를 긁적거릴 대목에서 생각한다
대문만 아니라면
선사시대도 아직 옆집이었을 것이다

'금이빨 삽니다 운동화 세탁' 입간판 하나에 두 개의 캐릭
터를 우겨넣은 북아현로 상가 길목에서 금이빨과 운동화를
가지고 와야 입장이 가능하다는 건지 금이빨을 뽑아서 운
동화 세탁을 하라는 건지 운동화를 벗어들고 어금니 쪽 금
이빨을 조금 흔들어보는 오늘의 정오와 51쪽에서 52쪽으로
넘어가지 못하고 시의 사잇길을 헤매던 어제의 자정은 근친
이다 길의 근대사는 모르거나 없거나 두 가지 중 두 가지가
만개한 꽃밭이었다

아직도 오늘인 어제의 내일

하루치 주름도 벗어나기가 그렇게 힘든데

펜션에 짐을 부리고

외지인이라는 오래된 혈통들이 밤을 누빈다

통영 산양읍 풍화리

집집마다 사철 열어두려고 달아놓은 대문들 앞에서

이런 세뇌는 오랜만이야,

길이 조심스레 손을 여민다

포장마차를 찾아서 1

주저앉는 안개비에
제 뿌리를 뽑아든 건물들이
사라지고 있어요

푸르죽죽해요

내가 유산한 아이도 영문을 모른 채
사라졌겠죠, 네?

모든 비는 거울이에요
깨진 얼굴은 천지사방으로 흩어져
다시 불러올 수 없어요

노래 한 곡을 마저 듣지 못하고
소주와 눈물은 부러지죠

닭똥집에 오뎅국물이 사무치듯

백열전구 두 개가 다 끌어안지 못한 겨울밤이
포장 틈새로 펄럭이네요

자 건배해요 몇 번이고
빈자리 그대
비켜 지나간 순간들 위해 몇 번이고, 네?

포장마차를 찾아서2

자정이 넘었는지 글쎄
나는 사금이라 거니
하나님 죄송해요라 거니

하기 힘든 말들 다시 꿀꺽 삼키고
식도에 불 밝혀 들고 뛰노는 맥박을 밟고 내려가
탯줄로 칭칭 감은
복숭아 속살 같은 당신 속에
틀어 앉는 애벌레죠 나는
몽촌토성으로 잠실고수부지로
내버려두면 절로 도는 발걸음 암혈을 파고

남으로 뻗은 불륜 한 가지
누가 뚝 분질러
밭이랑에 던지길 기다렸죠
기다렸어요 선암사 뒷간에 앉았거나
오동도 동백 그늘을 거닐거나

김 서린 안경알이 말개질 때까지
적막강산이었죠

울음이 제풀에 솟구쳐
마른 지팡이에 댓잎 돋듯
저것 좀 봐, 꺾인 생나무 가지에서 팔방으로
떼까마귀 날아올랐죠

감옥 이야기

이 순 싸가지 없는, 야, 나도 집에 가면 너보다 큰 자식이 있어, 어린 새끼가, 뭐? 그쪽이 먼저 그랬잖아요? 그쪽이라니! 아, 그쪽이라니! 젊은 여자가 앉을 때는 꿈쩍도 못하다가 내가 앉으려고 하니 왜 인상을 써! 인상을 쓰길! 그래, 날 세워놓고 자리 앉으니까 편하니? 편해? 이런 새끼들 땜에 나라가 안 된다는 말 들어봤지만 내가 막상 이런 일 당할 줄 몰랐네, 아이고, 분해서 말도 안 나오네, 아, 여러분 내 말이 틀려요?

그동안도 아이는 고개를 숙이고 무슨 책인가를 들여다보고 있다 일어나 자리를 양보할 지점은 이미 지나쳤고 마음에 없는 사과 한 마디 건넬 시점도 내방역입니다, 이수역입니다, 남성역입니다, 원점으로부터 점점 멀어져서 다시 돌아갈 수 없다 내려서 다음 차를 타면 되지, 그러나 아이는 들창문 하나 없는 욕설에 갇혀 옴짝달싹하지 못한다

싸가지가 없어서 뼈도 못 추린, 나도 다섯 개쯤의 감옥은 갖고 있다

111

싱크대에서

묵은 편지들을 태우느라
싱크대가 오래 환하다
무어라 주절대는 소리들이 잦아든다
역사가 횃불을 들고 걸어왔듯이
싱크대에서 사라지는 작은 역사도 있는 법이다
물을 틀자 마음의 석탄지대
얼추 떠내려가는데
하수구가 물을 게우며 감정에 복받친 시늉을 한다
갈 사람 가야지 잊을 건 잊어야지
노래가 끝나고
일몰도 죽음도 없이 한 젊음도 끝나고
우연히 팔뚝에 묻은 검댕이나
창턱에 걸려 미처 빠져나가지 못한 연기
여러 날 허둥대는데
철수세미로 문질러 살에 피가 돌아도 싱크대는
반성할 줄 모른다
폭삭 주저앉던 목소리들을 좀체 잊지 않는다

내시경을 들이밀듯

수리공이 후벼놓은 목구멍이 아직은 아픈 게다

잠언 독송

무릇 주린 자는 귀가 허하다고
귀로 몰려오던 세상이 제 안에
갇히는 소리 들린다고
수몰지구 가옥처럼 적막하다고

사물들이 대로 저편으로 물러나 저들끼리
뭐라 떠들어댄다
더욱 드러눕는 허기를 따귀 서너 대로
일으켜 앉히며 나는 전보다
늙지 않는 저들이 더 두려워진다

두 세계가 내 안에 있으니, 한 세계는
유독 나만의 것이니 얼마나 신비로우냐
이음(異音)이 서너 마리 그악한
새끼를 친다

무너져 내리는 벽 따라가지 말며

썩어빠질 울타리 겯지도 말며
무엇보다 끼니를 거르지 마라, 아가야
다 큰 자식 잃고 일시에 눈이 먼
이모할머니의 잠언을 귀청에 뜯어 맞추면

이제 사람은 그만 그리워하자가 된다

몽촌토성·여름

발목의 건강,
아버지 감사해요
시오리쯤 달려 십리쯤
걸어도 아직 생기 도는
노루 발목 같은 당신을 닮았습니다

몇 겹의 문을 열고 들어선 사람에 그을리면서
한없이 나는 굴절한다
직선으로는 도무지 너를
증거할 수 없으므로

까맣게 닦인 내가
아침 햇살 꺾어 화병에 꽂는다

몽촌토성·가을

엉덩이에서 등허리로 숨 차오르는
혹은 골반에서 대퇴부로 흘러내리는
솜털 칼칼한 아랫도리
혹은 돌아누워 뵈지 않는 젖가슴보다도
날것으로 불어오는 바람을
편안히 눕히는

전설의 부러진 삭정이들 모여
얼기설기 마음을 부비고
낡은 실밥 툭툭 터진 옷을 깁는다

몽촌토성·겨울

열정이 식어버린 사내의
이마만큼 차가운 것이 또 있으랴

얼음 차오르는 몸뚱어리 너머
진눈깨비 덮어쓴 어둠이 내렸다
새벽이면 보리라
밤새 신부로 꾸며진 나의 주검

몽촌토성·봄

배신하고야
내게로 가는 길이 열린다

연초록이 일으킨 대규모 쿠데타도
작게는 죽은 풀잎에 대한 산 뿌리의
배신이 아니냐

한 사람 건너

한 줄기로 꿰이는 매미울음 메들리도 가끔은 이가 빠지듯
일렬횡대로 늘어서 있어도 생이 가지런하지 않듯
한 사람을 건너 뛸 때 가급적
말 더듬지 말 것

날렵하게 슬라이스 친 실용문구는
허리벨트를 안 맸더니 웬걸
정신이 흘러내리는 부류와는 종이 다르다
축지법을 쓰는 거미를 휴지로 눌러 죽이고
미간 하나 찌푸리지 않는 허무의 동지들이여

오른쪽으로 휘어진 중지가
옆구리를 떠밀리며
연필심 닳는 속도로 야금야금 여기까지 왔다
그러니 그렇게 말하는 게 아니지
씨 없는 수박이 저도 모르게 허연 씨 몇 개를 데려오듯

있어도 그만
없으면 더 나을 이름이라도
한 사람을 건너 뛸 때 가급적
장거리이어달리기 선수는 바통을 놓치지 말 것

—왼쪽부터 박00, 최00, 한 사람 건너 윤00

한 사람 전의 인물은 불후의 명곡이거나
한 사람 건너는 불멸의 사랑일 테니

맥락과 정서는 있어도 이름은 잃은
그 한 사람이 없으면 도통
탈고되지 못했을 어느
시전집 앞머리 사진 설명 앞에서

얼룩은 더 큰 얼룩 속으로 스며든다

턱을 괸 채 그는 오래도 앉아 있다

지친 종이컵이 맥없이 쓰러진다
벤치와 흙에 응혈이 지고
바람은 컵에 남은 믹스커피 향을
마저 거두어간다

금박이 떨어져나갔는지 다 식은 햇살에서
쇠붙이 냄새가 난다

작은 연못에 거북이 세 마리
띄엄띄엄
낡은 목을 물 위로 내미는데

빌딩들이 고궁 안을 일삼아 들여다본다

나의 담은 일평생 너무 낮았지

그림자 하나 숨길 데 없이 계속되던 백주대낮

꽃망울이 잔뜩 토라져 있는
벚나무 그늘에서
어린아이 하나가 연못에 돌을 던진다

유리천장이 박살나고
박살나기 위해서 유리천장은 새로 세팅되고

거북이가 움푹 팬 그의 눈 속으로 잠적한다

해설 · 시인의 말

타자의 시학

김유석(문학평론가)

시 쓰기는 자기고백의 영역 같지만 기실 타자와 만나는 격렬한 행위다. 습관적으로 쓰던 단어를 새로 보는 행위이며, 주어와 서술어 간의 자동 연결 상태를 끊고 새로운 진술을 생산하는 행위이다. 새로 본다는 것은 낯설게 본다는 것이며 그것은 언어를 타자로 대하는 행위와 다름없다. 타인 역시 타자다. 시인은 타인의 말과 행동을 기억하고 그 기억 속에서 공감과 연민 등의 감정적 개입을 역동적으로 펼치며 자신의 감정 지도에 타자를 그려 넣는다.

죽음은 모든 생명체에게 영원한 타자일 수밖에 없다. 우리는 자신의 죽음을 인지할 수도 회상할 수도 없다. 한 인간의 생은 죽음을 수용하지 않음으로써 유지되고 적극적으로 그것을 받아들이는 행위도 사실 삶의 영역이다. 시간 역시 낯선 타자다. 회상으로 존재하는 과거는 우리가 통과해 왔지만 더 이상 내 것이 아니다. 미래는 기대로 존재하지만 한 발짝도 가본 적이 없는 미지다. 자신에게 자신은 타자 중에 가장 이해하기 어려운 타자일 것이다. 거울을 보고, 분열을 회피하는 등, 자기동일성을 유지하려는 모든 행위들은 자기 안의 타자를 잠재우려는 노력이다.

그러나 시를 쓰는 행위는 이 모든 타자들을 직시하겠다는 자기 선언이다. 현재에 몰입된 자신에서 벗어나 낯선 언어의 숲에서, 지나쳐버렸던 타인을 호명하고, 죽음을 마주 대하며, 내 안의 낯선 나를 만나겠다는 결심이다. 그럼으로써 자기와만 관계하는 나르시시즘적 자아를 벗어나 성숙하고 활달한 시선으로 타자를 수용하려 한다.

이영숙 시인은 이번 시집 『히스테리 미스터리』에서 비루하고 특별할 것 없는 일상을 그려냈다. 바깥과 자기 안에서 느끼는 수많은 타자들과 교섭하고 공감하면서 자기 확장을 꿈꾼다. 단일한 주체의 자기고백을 넘어 수많은 자기 목소리를 가진 타자들이 웅성거린다.

언어와 주체의 타자

이 시집의 가장 큰 특장은 생동감 넘치는 언어이다. 다른 범주에 있는 언어와 언어가 충돌하여 새로운 언어를 내놓는다.

ㄱ) 관절이 없어서 나는 기차가 되지 못했다―「버스의 평균율」

ㄴ) 떠내려 온 시간들의/삼각주―「공원묘지」

ㄷ) 모서리가 다 닳는 새벽―「까마귀 네트워크」

ㄹ) 우리는 무지개처럼 안이했다―「버스의 평균율」

ㅁ) 인공위성 어떤 정신이기에/ 명아주열매처럼 저리 골똘
   한가―「장소의 불문율-폐가」

ㅂ) 늘 다른 곳으로 배송되는 새벽―「목요일의 패러독스1」

ㅅ) 토끼는 일평생 토할 것 같은 기미만 가지고 살아온 이
   름이 억울해―「간도 쓸개도 조문(弔問)도 없이」

ㄱ)의 경우 기차 차량의 이음새를 신체의 관절로 표현했
다. 신체를 표현하는 중심 의미를 유사성에 주목하여 무생
물로 확장했다. ㄴ)에서는 시간이 단순히 흐르는 것을 넘
어 하강적으로 지나 하류에 퇴적된 상황을 '삼각주'로 구체
화했다. ㄷ)역시 '새벽'이라는 관념 대상과 그 특징을 '모서
리가 닳다'로 은유했다. ㄹ)에서는 '무지개'와 '안이(安易)'라

129

는, 유사성으로 연결되기 어려운 두 단어를 직유로 과감하게 연관시켰다. 무지개는 비가 온 뒤 햇빛이 굴절되는 현상인데, 비가 오고 햇빛이 비치고 또 금방 사라진다. 그렇기에 이 직유는 적확하다. ㅁ)의 경우는 '명아주열매'가 '인공위성'보다 더 미지의 대상인데 기지의 대상을 미지의 대상으로 비유하여 기존의 비유 도식을 역전시켰다. '포클레인 같은 손'같은 표현이다. ㅁ)의 표현은 오히려 '명아주열매'의 '골똘'함에 주목한 것으로 시 전체의 맥락에 관계없이 명아주열매라는 대상을 새롭게 보게 한다. ㅂ)의 경우 ㄷ), ㄹ)과 마찬가지로 관념의 구체화에 공을 들인 예인데 더 주목할 것은 '배송'이라는 단어와 새벽을 연관시킴으로써 이질적인 영역에 놓여있던 단어들을 은유의 체계로 재배치한 점이다. ㅅ)에서는 음성의 유사성에 입각해 시어를 채택하여 내용과 형식(음성)을 연관 짓는다.

이처럼 이영숙 시인은 다른 영역의 언어를 연결하면서 언어의 의미를 확장해 나가고 있다. 예상치 못한 영역 간의 중매를 벌이면서 새로운 의미의 자식들을 풍성하게 생산한다. 생물과 무생물, 시간과 사물, 감각과 사물, 관념어 간의 경계는 무너지고 이질적인 단어들이 서로 넘나들며 섞인다. 두 영역 간의 만남은 타자 간의 만남처럼 격렬함과 긴장으로 가득 차 있다. 두 단어는 차이 속에 동일성을, 다시 동일성 속의 차이를 유지하면서 기존의 의미 바탕으로는 완전히 상대를 소유하지 못한다. 이 소유의 불가능성을 인정하고 있기에 시어들은 생동감 넘친다.

언어 사용뿐만 아니라 화자 차원에서도 타자성이 구현되어 있다. 단일한 주체의 독백적 진술보다는 타자의 목소리를 담거나 청자를 설정한 다성적 주체의 목소리가 곳곳에 등장한다.

ㄱ)

2월에 핀 개나리가 미풍에 흔들렸어요 아홉 시 뉴스는 단박에 노곤해졌지만 그 정도는 풍문도 되지 못해요 어느 해 장례를 마치고 내려오는 산자락에서 12월의 개나리도 노랗게 번졌는걸요

―「사소한 다큐」

ㄴ)
아버지!
아버지?
골목길을 지나는데 대문 안에서
누가 아버지를 부른다
어? 안쪽 어디선가 아버지가 대답한다

―「장소의 불문율-공동묘지」

ㄷ)

많이 크셨네 입덧도 하시고/ 헐 입덧도 전염성임? 미투
급 땡김/ 전 한 차례 지나가심 면역력 떨어지는지 또 군침
이/ 일종의 정신의 딸꾹질?/ 육체의 투레질!

띄엄띄엄 도착한 카톡방 답글을 몰아보는 밤
—「간도 쓸개도 조문(弔問)도 없이」

ㄱ)은 독백이지만 청자를 설정하면서 타자의 존재를 의
식하고 있다. ㄴ)은 두 사람이 등장해 자신의 목소리를 내
고 있다. ㄷ)은 다수의 목소리를 담았다. 여기에서 단일하고
고독한 주체의 목소리는 사라지고 복수의 타자들이 각각
자기 목소리를 내고 있다.

이렇게 중앙집권화된 주체에 의한 단성으로 타자가 주체
의 시선에 포섭된 수동적 존재로 왜소화하지 않고, 독립적
이고 산발적인 주체들이 자신의 능동적인 목소리를 내고
있다. 자기 주체와 타자 주체는 평등한 자리에서 발언을 하
면서, 타자는 시의 변방에 머물지 않는다. 주체 차원에서 타
자성의 수용은 언어 차원의 타자성과 더불어 이영숙 시인
이 타자를 대하는 중요한 지점이라 하겠다.

내 안의 타자

 일상은 지루한 것이다. "도망과 망명 사이에서 /자살과 혁명 사이에서 /어느 지점에도 뿌리 내리지"(「가을 전어」) 못하고 인간은 하루하루의 일상을 살아간다. "나무들처럼 가지런히 서 있는 연대기 /태생은 번복되지 않"고 "우르르 몰리는 슬픔들을 재배치한 뒤/불면의 차고지에서 조용히 시동을 끄는 것 외엔"(「버스의 평균율」) 다른 방법이 없어 보인다. 이영숙 시인에게 시 쓰기란 더 이상 변할 수 없어 보이는 일상 속에서 자동반사적인 반응으로 관습화된 자기 안에서 새로움의 싹을 발견하는 일이다. 일상 속 자기 안의 낯선 타자를 발견하는 일이다.

 필연적으로 정해진 삶이란 없다. 필연을 수용할 때 인생 행로는 이미 정해져 있어 미래의 일조차 예상했던 일이 된다. 그렇다면 미래는 더 이상 변화와 생성의 바탕인 타자성의 요소는 제거된 채 생동을 잃는다.

> 결혼식 이틀 전에 결혼을 벗어버리고
> 열차시간을 알아보던 내 영혼의 일부는
> 양수리나 대관령쯤서 맴돌진 채
> 낡은 주머니 같은 우연에 닿는 나를
> 만난다, 오늘
> 처녀 젖꼭지처럼 단호한 꽃망울

바람이 무덤인 꽃은 지지 않는다
들판에서 아일 낳아
소슬한 별자리로 띄울 뿐

이루지 못한 꿈은 어디로 가나
모든 떠도는 것에
빛나는 그늘 같은 슬픔이 되나
아하, 그래서 우리는 방랑하나

봄에는 밤이 붐빈다
육신을 떠나
모든 푸름에서 발아한 부류들이
우연에 닿느라
숨이 차다

—「개화 이틀 전」 전문

　"결혼식 이틀 전에", 정해진 인생의 시간표에서 일탈을 꿈
꾸며 "내 영혼의 일부"는 여행을 떠난다. 식물에게 개화란
바람에 실려 향을 내보내며 짝을 짓는 자유와 우연에 속하
는 일이다. 그래서 "바람이 무덤인 꽃은 지지 않"고 하늘에
"소슬한 별자리를 띄"우며 한 곳에 구속되지 않는다. 시인에
게 결혼은 식물의 개화와는 다르다. 우연성을 상실하고 고
정된 틀 안으로 들어가는 일, 바람과 별자리와 숨참에서 멀

어지는 일처럼 보인다. 그런 그에게 남은 것은 영원한 방랑이며 이루지 못한 꿈들로 찬 삶이다.

꽃들에게 개화의 봄밤이 숨이 찰 정도로 에로스로 가득 차 있는 이유는 타자와의 우연한 만남을 꿈꿀 수 있기 때문이다. 타자는 완전히 내게 속하지 않은 부정성을 본질로 한다. 마르틴 부버가『나와 너』에서 말한 '근원거리(Urddistanz)'를 유지하는 것이다. 그러나 타자와의 근원거리와 타자의 부정성을 제거하면서 자신의 영역을 확장하는 것이 인간의 일반적인 삶이다. 이제 어떻게 해야 할까?

칸트가 느긋한 걸음으로 나타나면
동네 사람들은
어, 벌써 세 시군
그랬다 한다

같은 길을 같은 시각에
꼬박꼬박 다져서 만든 산책길이
어깨부터 손목까지 이어진다
단정한 각도의 생이 펼쳐지는 것이다

뼈와 뼈가 연대하는
보이지 않던 곡절을
네게 보여줄 수 없는 게 유감이군

그러나 팔꿈치는 적응한다
시계를 보지도 않고 세 시에 미리 가 있다

4주에서 6주라는 통상의 세기 동안
왼쪽 시가 오른쪽 시보다 가늘어진다
중심을 잡느라고 좌뇌 쪽이 무거워진다

빵을 사면 한련화 씨앗 한 봉지씩 나눠주는 제과점을 차
리자
콘크리트를 전동기로 동그마니 뚫고
먼저 제과점 앞 왼쪽 시에 씨를 심고 물을 주자
미풍에도 한들거리는 한련화제과점
　　　　　　　　　　　　　　—「깁스한 시 한 편」 전문

　칸트와 세 시와 깁스한 팔의 모양은 환유의 끈으로 이어
져 있다. 칸트가 세 시에 산책을 나갔고, 왼팔이 부러진 화자
는 바늘 시계의 세시 모양으로 깁스를 하였다. 칸트가 매일
같은 시간에 산책을 나가듯이 팔은 회반죽으로 굳어져 바
늘시계의 세 시 모양을 하였다. '단정한 각도의 생이 펼쳐지
는' 모양새이다. 부러진 팔의 뼈들은 단정하게 고정됨으로
써 다시 붙고, 뼈들이 붙기까지의 내밀한 연대기와 뼈와 뼈
가 붙는 곡진한 '연대'의 일도, 매일 반복되는 '세 시'의 산책

처럼 일상이 된다.

그런데 갑자기 '시'가 나왔다. 단정한 각도의 '시(時)'가 그 각도를 흩뜨리는 '시(詩)'로 바뀌었다. 시인의 자의식이 출현한 가운데 시를 쓰는 팔은 곧 '시'나 마찬가지다. 깁스를 한 팔은 사용할 수가 없어 다른 쪽보다 가늘어지는 현상이 일어났을 테고, 가벼운 왼쪽 팔에 무게를 더해 중심을 잡으려고 '좌뇌 쪽'이 무거워졌을 것이다. 생이 단정해질수록 단정한 삶에서 탈출하려는 욕구는 커질 수밖에 없다. 창조와 직관을 담당하는 좌뇌의 무거워짐은 이성 작용, 시간 감각 등 생존 능력을 담당하는 우뇌와 균형을 맞추기 위해서이자 창조와 직관의 영역인 시 쓰기에 대한 시인의 자의식의 발로이다.

"빵"은 알곡을 싹 틔우기 위한 씨가 아니라 인간이 생존을 해서 빻아 구운 음식이다. 이 생존의 굴레는 인류를 지속시켜왔지만, 시인은 "한련화"의 아름다움과 생명력의 생성을 꿈꾼다. 콘크리트처럼 단정하게 굳어버린 감각과 태도에 "전동기로 동그마니 구멍을 뚫고" 씨앗을 심는 행위란 다름 아니라 단정한 각도의 생에 구멍을 뚫는 일이다. 그것은 아름다움의 추구뿐만 아니라 회반죽이나 콘크리트로 굳어진 자기 안에서 새로움을 끊임없이 생성해내는 자기 혁명이다.

인간은 대개 자기 안의 변화 가능성을 관습화된 일상 속에서 잊고 산다. 이영숙 시인은 이러한 일상 속에서 비탄이나 연민의 태도를 취하거나 초월적인 자세로 도피하지 않는다. 자기 안에 잠재되어 있는, 변화와 생성의 가능성을 발견해나간다. 그것은 자기 안의 건강한 부정성을 잃지 않으려는 노력이다. 이 시집에서 허무감이나 우울증을 찾아볼 수 없는 이유도 여기에 있다. "우울증은 자아 리비도의 나르시시즘적 누적으로 인해 생겨난다"*고 할 때, 자기 내부에서부터 타자성을 발견하려는 시인은 이제 나 밖의 타자와 당당하고 생기 넘치게 교류해 나간다.

나 밖의 타자

타자로 향하는 시인의 시선은 사회 현상에까지 뻗어 있다. 시인이 궁극적으로 도달하고자 하는 지점이다.

수건이 수생식물에서 진화하여 공중식물이 되었다는 건 세상이 다 아는 사실이다
틸란드시아나 디시디아가 수건의 일종이듯
심지어 박쥐란이 잔털로 수건의 돌기를 연기하듯
연사, 무연사, 죽사, 코마사, 극세사는 식물의 조직에 대한 분류 명세다.
습기 많은 날 수건이 눅눅해지는 건 이제 곧 잎을 뻗고 뿌리를 공중에 늘어뜨릴 때가 되었다는 신호다

---

* 한병철, 『타자의 추방』, 문학과지성사, p.39.

138

물기라면 사족을 못 쓰고 수건이 덤비는 건 저 물밑에
뿌리를 박고 물결에 일렁이던 추억 때문
　　누가 수건의 전생을 형상화 했는지
　　쓰다듬는 대로 돌기는 이리 저리 일렁인다

　　하고많은 집 중에 물기도 온기도 곡기도 끊긴 집
　　미라가 뭔가 물기 고스란히 빠진 신체
　　사건은 일단락되었다 차마 시취를 빨아들이지는 못하고
눈물도 없이
　　마지막으로 빨아 널린 자세로 잎도 뿌리도 내리지 못한 채
　　방을 가로지른 줄에서 자기가 공중식물이란 사실만 다
시 한 번 입증한 채

―「수건의 고독사」 전문

　　"수건이 수생식물에서 진화하여 공중식물이 되었다"는 명
제가 있고 이미 그것은 보편화된 사실이다는 세인의 인정
이 있다. 명제와 인정 둘 다 언뜻 이해하기 어렵지만 시인
은 아랑곳 않고 우직하게 이 둘을 기정사실화한다. 현실에
존재하는 다양한 공중식물도 기원과 분류상 '수건'이고, 수
건의 구성 성분도 식물 조직에서 비롯되었다. 수건과 공중
식물은 공중에 떠다니는 물기를 흡수해 그 존재조건을 완
성한다는 점에서 같다. 그렇다면 수건은 생명체와 마찬가
지다. 그런데 수건이 바짝 말라 있다. 누군가가 세수를 하고

닦아야하고 빨래도 하고 밥을 할 때 수건에는 물기가 생기는 데 그럴 사람이 없다. 수건에 물기가 사라질 때 그 수건이 있는 집은 빈집이거나 생명이 사라지고 수건처럼 마른 사람만 누워 있다. "물기 고스란히 빠진 신체" 즉 "미라"만 남은 곳, 혼자 죽은 사람이 고독사한 집이다.

가족이나 이웃이라는 공동체에 뿌리를 내리지 못한 채 공중에 떠 있다가 홀로 죽는 사람들이 늘어나는 사회 현상을 '수건'이라는 인상적인 은유로 그려냈다. 빨아서 잘 말라있는 수건은 산 사람에게는 촉감이나 실용 면에서 긍정의 대상이다. 고독사의 처참한 현장을 대표하기에는 아름답기까지 하지만 오히려 그 아름다움 때문에 고독사는 더욱 절실하게 비참해진다. 가족을 비롯한 타인과의 관계가 끊어진 이는 수건과 가장 친했을 것이다. 목욕 후에 자신의 온 몸을 부드럽게 닦고, 얼굴을 닦으며 입을 맞추기도 했을 것이다. 미이라처럼 말라죽어 있는 몸도 물기 가득 찬 수건처럼 '시취'가 아닌 '체취'를 간직한 한 사람이었음을 적확하게 표현한다.

그렇다면 허무맹랑하게 보였던 1행은 시적으로 참인 명제가 되기에 충분하다. 러시아의 형식주의자 V. 쉬클로프스키가 예술의 법칙으로 제시한 '낯설게하기 defamiliarization' 즉, "예술은 우리가 삶의 지각을 회복하도록 한다. …돌을 '돌답게' 해준다. 사물을 낯설게 하고 형식을 어렵게 하며 지각을 힘들게 하고 지각에 소요되는 시간을 연장한다"*라는 정신처럼, 시인은 고독사 현상을 습관처럼 자동적으로 인식하지 않고, 낯설고 오래 보기를 유도한다. 이 시를 읽고 나서 '수건'의 본질은 물 묻은 몸을 닦기 좋게 말라있는 천이 아니라 물기를 흡수해 젖어 있는 체취 묻은 천임을 알게 된다. 연대의식에 바탕을 둔 사회적 감성력이 의미 생성의 치밀한 인지 전략으로 충전된 언어와 교융하며 인상적으로 형상화되었다.

  아가들은 엄마, 아빠, 다음에 안 돼,를 배운다 후춧가루처럼 톡 쏘는 재채기처럼 눈을 감는 잠처럼 뒤척이는 버릇들 안 돼,는 생채처럼 젊고 생채기처럼 날카롭다 무기를 덜그럭거리며 사람들이 걸어 다닌다 아무리 안 돼,로 무장해도 상대의 안 돼,가 종종 더 위력적이다 안 돼,만 있으면 좋아질 것 같은 세상이 안 돼,로 나빠지는 건 아무리 많이 배운 사람도 풀 수 없는 난제다

  (중략)

  태평양 환류지대에 남한 땅덩이의 일곱 배 되는 섬이 떠있다

---

* V. 쉬클로프스키, 「기술로서의 예술」, 『러시아 형식주의 문학이론』, p.34.

성긴 뿔처럼 질긴 입처럼 플라스틱들은 잘게 부서져 걸
쭉해졌다
　플라스틱 수프를 플랑크톤이 먹는다
　플랑크톤을 작은 물고기가 먹는다
　작은 고기를 큰 물고기가 먹는다
　갖은 양념을 더해 큰 물고기를 사람이 먹는다

　안 돼,를 목소리 더 큰 안 돼,가 제압한다
　이래도저래도 안 돼,는 안 된다
―「플라스틱 수프」 부분

　시인의 관심은 생태환경문제로까지 나아간다. '플라스
틱 아일랜드'는 이미 몇 년 전부터 문제가 되어 세계 곳곳
에서 플라스틱 줄이기 운동을 촉발시켰다. 서해와 통영 앞
바다의 굴양식 부표용 스티로폼이 하와이를 넘어 북태평양
환류지까지 흘러가며 광분해되어 미세 플라스틱으로 바다
에 녹아 결국 인간의 몸까지 이른다는 충격적인 사실 앞에
서 시인은 시를 썼다. 먹을 수 없는 플라스틱을 "플라스틱
수프"로 표현하면서 먹는 행위의 반생명성을 인상 깊게 비
유했다. 환경문제를 다룬 시는 대개 무엇을 하라(positive)
는 선언인 경우가 흔한데, 이 시에서는 "안 돼"라는 부정의
(negative) 태도에 대한 부정으로 환경문제에 대한 대안으

로 제시한다. 거창해 보이는 환경문제와 일상생활에서 "안
돼"라는 부정적 태도를 연결해 설득력을 높였다.

　거대 사회문제에 관심은 자칫하면 자아를 소거해버린 채
상투적인 표현이나 과도한 연민, 선전 선동성을 띠기 쉽다.
그러나 이영숙 시인은 언어 및 자기 자신과의 긴장 관계를
놓지 않음으로써, 대상을 상투적으로 인식하는 위험을 비
켜간다. 그의 목소리는 사회문제를 말할 때 오히려 일상적
현실성을 갖게 된다. 경직과 필연과 이데올로기는 그의 시
와 거리가 멀다. 타자가 처한 조건을 세밀히 관찰하며, 리
얼리즘의 새로운 싹을 이제 막 틔웠다. 시인은 말한다. "우
연처럼 나는 썩지 않을 것이다"(「과정도 비약도 없이」)라고.

시인의 말

시가 저 너머에 있다고
절망할 때도 있지만, 실은

직전이라는 소용돌이와
제자리걸음이라는 뇌관 사이의
구체적 운동임을 믿는다.

운동이 있을 때
오늘이라는 피안도 있다.